o livro dos *ressignificados*

o livro dos *ressignificados*

@akapoeta
João Doederlein

paraela

Copyright © 2017 by João Doederlein

A Editora Paralela é uma divisão da Editora Schwarcz S.A.

Grafia atualizada segundo o Acordo Ortográfico da Língua Portuguesa de 1990, que entrou em vigor no Brasil em 2009.

Capa e projeto gráfico: Estúdio Bogotá
Ilustrações: Helena Cintra – Estúdio Bogotá
Preparação: Lara Cammarota Salgado
Revisão: Dan Duplat e Luciana Baraldi

Dados Internacionais de Catalogação na Publicação (CIP)
(Câmara Brasileira do Livro, SP, Brasil)

Doederlein, João
   O livro dos ressignificados / João Doederlein. —
1ª ed. — São Paulo: Paralela, 2017.
   ISBN: 978-85-8439-081-6
   1. Poesia brasileira I. Título.

17-05493   CDD-869.1

Índice para catálogo sistemático:
1. Poesia: Literatura brasileira 869.1

21ª reimpressão

Todos os direitos desta edição reservados à
EDITORA SCHWARCZ S.A.
Rua Bandeira Paulista, 702, cj. 32
04532-002 — São Paulo — SP
Telefone: (11) 3707-3500
editoraparalela.com.br
atendimentoaoleitor@editoraparalela.com.br
facebook.com/editoraparalela
instagram.com/editoraparalela
twitter.com/editoraparalela

Dedicado ao meu irmão mais novo, Danilo.
Eu sei que um dia você vai duvidar dos seus sonhos.
Saiba que eu também duvidei. E saiba que duvidar não é sinal de fraqueza.
Então, quando você pensar em desistir, leia este livro. E sonhe de novo.
E, se eu for motivo de alguma coisa na sua vida,
que seja motivo para você não desistir do que ama.

Em memória de vovó Irma.

o jardim,
o zodíaco,
o coração,
a mente,
a cidade
e a história
de nós dois.

.... **14**

.... **50**

.... **66**

.... **108**

.... **146**

.... **172**

14 o jardim

16 astronauta
17 estrela
18 sonhar
19 pesadelo
20 flor
21 nuvem
22 verão
23 outono
24 inverno
25 primavera
26 janela

27 íris
28 arte
29 Pasárgada
30 rei
31 bailarina
33 silêncio
34 paz
35 sol
36 lua
37 borboleta
38 magia

39 fogo
40 girassol
41 alma
42 tempestade
43 cachos
44 ruiva
45 mar
46 loira
47 rosa

50 o zodíaco

52 áries
53 touro
54 gêmeos
55 câncer

56 leão
57 virgem
58 libra
59 escorpião

60 sagitário
61 capricórnio
62 aquário
63 peixes

66 o coração

68 serendipidade	**80** nefelibata	**92** coração
69 ritmo	**81** esperança	**94** pai
70 conselho	**82** empatia	**95** vontade
71 saudade	**83** mãe	**96** pressa
72 Deus	**84** solidão	**97** inveja
73 determinação	**85** rancor	**98** sangue
74 decepção	**86** desinteresse	**99** medo
75 inspiração	**87** culpa	**100** lágrima
76 confiança	**88** âmago	**101** amor
77 migalha	**89** orgulho	**102** fé
78 coragem	**90** crescer	**103** chorar
79 gratidão	**91** perdoar	**104** felicidade

108 a mente

- 110 devir
- 111 oblívio
- 112 ressignificar
- 113 esquecimento
- 114 inefável
- 115 ansiedade
- 117 solitude
- 118 ilusão
- 119 tempo
- 120 acaso
- 121 viver
- 122 obsessão
- 123 verdadeira
- 124 dor
- 125 desistir
- 126 palavra
- 127 indiferença
- 128 lembrança
- 129 acordar
- 130 calma
- 131 resiliência
- 132 amizade
- 133 vazio
- 134 ter
- 135 passado
- 136 erro
- 137 depressão
- 138 trevas
- 139 sintonia
- 140 *eudaimonia*
- 141 singularidade
- 142 sonho

146 a cidade

- 148 enigma
- 149 tatuagem
- 150 calmaria
- 151 caos
- 152 artista
- 153 fantasma
- 154 invisível
- 155 alergia
- 156 perdido
- 157 morte
- 158 lar
- 159 viajar
- 160 amanhecer
- 161 férias
- 162 madrugada
- 163 instrumento
- 164 escuro
- 165 criança
- 166 idade
- 168 rotina
- 169 sofá

172 e a história de nós dois

174 esquina	**187** sorriso	**200** beijo
175 promessa	**188** *crush*	**201** ciúme
176 amar	**189** expectativa	**203** voz
177 interesse	**190** namorar	**204** encontro
178 plano	**191** dançar	**205** covinhas
179 desejo	**192** castanho	**206** sardas
180 abraço	**193** apego	**207** ex
181 cafuné	**194** *bad*	**208** nó
182 Carnaval	**195** destino	**209** cama
183 encaixe	**196** *match*	**210** prioridade
184 sotaque	**197** transbordar	**211** cangote
185 chamego	**198** batom	**212** riso
186 distância	**199** *glitter*	

214 agradecimentos

o jardim

o jardim

Ei, menina,
olha esse barulho de mar,
esse bom
cheiro no
ar.
É seu?
Bem, menina,
que bom te ter aqui.
Me conta dos seus medos,
que eu te falo dos meus.
Senta comigo,
menina,
me deixa te conhecer.
Você veste esse sorriso perfeito,
mas
para te gostar quero saber
da sua imperfeição.
Veste as suas
que eu visto as minhas
boas, às vezes tolas,
intenções.
Menina,
te acho
linda.
Seu nome parece moldura
para o quadro
que é você.

Com esse estilo todo
"cê sabe muito bem"
que a gente se entendeu com a vida
apesar do
vai
e
vem.
Larga esse cabelo seu
e
me conta da vida
"o que é que deu?".
Quero saber sua história
além
da que você gosta de contar.
Quero o livro inteiro,
quero ler o título,
amar a capa,
ser pego pelas orelhas
e me apaixonar pela sinopse.
Quero ler as considerações finais.
Quero saber do rascunho que não entrou,
não só dos capítulos principais.
Poesia bem vivida
é a que se inicia
no meio da nossa vida
e só termina
quando a gente
qu
(então, vem).

astronauta *(s.m. e s.f.)*

é quem chega aonde quer. ou quem foge do mundo rotineiro para se encontrar. é quem sabe que somos viajantes de nós mesmos em órbita das cidades em que vivemos e que, algumas vezes, corações colidem uns com os outros.
é, às vezes, se sentir sozinho no mundo. é quando percebemos que não somos o único planeta buscando um lugar ao sol.

é quem, quando ouviu dizerem que o céu era o limite, pisou na lua.

estrela (s.f.)

é quem, feito catapora, se multiplicou no céu, diria Carpinejar. são as manchas que o universo não tem vergonha de mostrar. são as pintas nas suas costas e as sardas no seu rosto. são as memórias de quem já partiu. é onde escreve o destino.

é o brilho particular que algumas pessoas carregam no olhar.

sonhar (v.)

é um marinheiro em fuga da realidade. é o movimento de mar de desejos navegando em ondas de realidade. é um oceano inteiro de bons sentimentos. é a ressaca do estresse que faz a gente deitar nas nuvens do nosso ser e relaxar.

é ação que não cabe em mim. transborda.

pesadelo *(s.m.)*

é um sonho em desespero. é quando o marinheiro escuta o barulho das correntes do coveiro. é a seca em alto-mar. é o fim do nosso amar. é o tremular das minhas mãos ao segurar as suas e perceber que logo elas não estarão mais ali. é entrelaço que vira nó e desfaz.

é bicho-papão. é queda. é o que faz chorar o coração.

flor *(s.f.)*

é o jeito como eu te chamo quando você me vê. é um beijo colorido do universo. é a mãe do perfume. é o que catei no jardim da sua mãe para poder te dar bom-dia. é o que, quando junto com a gente, vira amor.

você foi a flor que eu reguei com mais carinho.

nuvem *(s.f.)*

é um navio que voa. é andarilho dos sete ventos.
é embarcação de sonhos. é o branco do mar.
é a marca das pinceladas do Criador. é a casa da
chuva e os balões de festa do céu.

é quem vem em liberdade.

verão *(s.m.)*

é uma montanha-russa que a gente desce de braços levantados. é o calor que compete com o do seu coração. é o que me lembra daquela nossa viagem para ver o mar, que eu fiz só para ver você.

é quando o sol abraça a gente.

outono (s.m.)

é quem lembra para a gente que galho quebrado e folha no chão são apenas um convite para a flor nascer. é quando a maçã mais alta no parque é a do seu rosto. é tempo em pausa.

é um respiro.

inverno *(s.m.)*

é o gelado do seu pé no meu. é um edredom contando história. é um bocado de neve na televisão. é quem mostra para a gente que o frio tem seu lado bom. é a parte bonita de um abraço acolchoado.

é uma gentileza para o amor.

primavera *(s.f.)*

é a promessa que fez o universo de que tudo o que vai, volta. é a prova de que naturalmente a felicidade é um ciclo e sempre vai se concluir. é ver o mundo virar um jardim, e você ainda ser a flor mais querida da minha vida.

é quando floresce saudade em mim.

janela *(s.f.)*

é uma contadora de histórias. é quem me ensinou que o mundo vai além. é a moldura do universo. é passagem de pensamentos. é por onde eu sei que você tá para chegar.

é o verde de cada olho dela ao olhar para mim, me convidando para entrar e conhecer as histórias que ela tinha para contar.

íris *(s.f.)*

é a verdade que mora no meu olho. é um espaço manchado de arte. é a tinta que faz a aquarela ter inveja do natural de cada cor. é o mar no qual nada uma pupila apaixonada. é a minha música preferida do Goo Goo Dolls.

é quem sente as lágrimas que ainda não nasceram.

arte *(s.f.)*

é fuga. é lar. é para onde correm as pessoas que procuram se encontrar. é a filha primogênita de quem tenta se expressar. nem sempre é o nosso melhor lado, mas é sempre o mais sincero. é o rosto do Criador por debaixo de qualquer máscara. é um incômodo na existência. é uma boa razão para se estar vivo.

é o ofício dos corações inquietos.

Pasárgada *(s.f.)*

é onde nem mesmo a distância encontra a gente. é para onde quero ir para descansar. não me procurem por lá. "lá sou amigo do rei". durmo onde e por quanto tempo eu quiser. são resquícios da antiga Pérsia. é um lugar no qual os laços se confundem e todos podem se ligar. é onde tomarei um banho de bar, algumas taças de vinho e vou eternamente me deitar.

é a capital do desconhecido. mas, afinal, quem se conhece de fato?

rei *(s.m.)*

é uma coroa ambulante repleta de vontades. é quem se orgulha do próprio orgulho. é quem tem a última palavra (ou pensa ter). é o herdeiro de um legado. é o pai de um povo. é quem mora nos livros. é lembrar que castelos de cartas caem fácil e nem todo reinado é eterno. somos humanos e somos frágeis.

e até mesmo o rei é servo do amor.

bailarina (s.f.)

é a dançarina que se entregou aos braços da arte.
é quem está disposta a abrir mão de certos luxos.
é quem dança com o vento e com o córrego
de um lago. é quem entende bem a palavra
"preparação". é muito mais do que um tutu.
é sincronizar os pés com a paixão que queima
em si. é um cisne sem asas. é uma das filhas
preferidas do teatro.

é uma contadora de histórias que dispensa a voz
para encantar alguém.

silêncio *(s.m.)*

o seu me bota medo. o do mundo às vezes me traz calma. é a faca de dois gumes da meditação. enlouquece quem muito pensa. é a melhor opção frente a comentários ignorantes. é quando a fala morre de infarto. é o momento em que se pode ouvir o vento cantar.

é o que faz meu coração ao ver você passar.

paz (s.f.)

é pedir perdão. é respirar fundo em meio a uma crise de ansiedade. é o que eu sinto quando olho nos seus olhos. é o estado de espírito em que o coração, mesmo envolto em medos e problemas, permanece calmo. é ouvir música sozinho. é o nome que se dá para banhos quentes e demorados.

é, apesar de tudo... se sentir tranquilo.

sol *(s.m.)*

é quando a lua abre o olho. é a lanterna de Deus.
é como se chama o coração do universo. é como
eu chamo carinhosamente aquela que é o meu
universo. é o melhor amigo da praia. é o pincel
que pinta o céu em tons quentes de laranja.
é casa em mapa astral. é nota musical.

é quem, mesmo sabendo que um dia vai apagar,
não mede esforços para brilhar.

lua *(s.f.)*

é quem o sol pediu em casamento. é quem decidiu nunca se casar (e viu que tudo bem). é dama. é atriz principal. é a testemunha do primeiro beijo de um casal. é quem veste a noite feito vestido e desfila pela madrugada. é saber dividir o próprio palco.

é lua. Luana.

borboleta (s.f.)

é uma mancha de tinta no céu. é a comadre da flor. é uma pétala com vida própria. é aquilo que tanto me admira poder voar. é a prova de que o tempo exprime o melhor de nós, mas não sem paciência. é quem me ensina a confiar na vida e nos planos que ela tem para mim.

a vida tem planos para quem acredita que um dia vai voar.

magia *(s.f.)*

é curar a dor de alguém com um abraço amigo. é um simples segurar de mãos. é palavra usada para explicar aquilo que foge da minha e da sua compreensão. é fonte do próprio desejo.
é acreditar que o Papai Noel deixou presente na noite de Natal. é aquilo que envolve os meus dias inesquecíveis.

é do que são feitos olhares entre estranhos que cruzam o corredor e te fazem perguntar pelo resto do dia: "qual é o nome dela?".

fogo (s.m.)

é a cor da coragem. é o que afugenta a própria
escuridão. é calor em pleno inverno. é justiça;
fere o soldado, fere o ladrão. é a representação
viva da intensidade. em excesso: deixa marcado.
é aquilo que em meu peito tenho guardado.
é benção e maldição. fora de controle: destruição.

quando te perdi no fogo do meu próprio amor,
colhi as cinzas do medo de quem um dia me amou.

girassol (s.m.)

era a flor preferida dela, que não gostava de rosas. é o amarelo mais bonito do seu jardim. é pai de semente famosa. é o tom preferido de amarelo do Van Gogh. é o filho do sol com a natureza. é flor que sabe sorrir. é quem sabe achar o sol em dias nublados demais. é saber que dias bons não somem nem se perdem, só se escondem vez ou outra.

eu, líri(c)o; ela, girassol.

alma *(s.f.)*

é aquela que dança por entre os frágeis ossos do meu corpo. é quem abraça a mortalidade do nosso ser. é aquela que veste os sentimentos com elegância. é etérea. é a parte da gente dentro de um sonho. é o nosso corpo em outra vida. é quem mora na nossa essência.

é quem sustenta o peso do meu viver.

tempestade *(s.f.)*

é a chuva irritada. é a natureza mostrando sua força. é o que estremece os céus. é um monte de nuvem brigando entre si. é bagunça em larga escala. às vezes é de areia, às vezes acontece dentro de um copo. tem gente que é capaz de fazer uma dentro do próprio peito. e tem gente que faz no peito alheio.

Renato diria que ela tem a cor dos seus olhos.

cachos (s.m.)

é um emaranhado de beleza. é quando seu cabelo vira mar. é um convite para o carinho. são seus fios fazendo as curvas de um sorriso. é um cabelo volumoso de amor. é autoafirmação. são os anéis que entrelaçam os meus dedos e pedem meu cafuné em casamento.

é quando a raiz do seu cabelo floresce cultura.

ruiva *(s.f.)*

é ver o outono se expressar pela cor dos seus fios. é cabelo que aquece o peito de quem vê. é a prova viva de que nem sempre o ouro é melhor do que o bronze. é herança das terras nórdicas, que assustam o inverno mais pesado com o calor da própria alma.

é o fogo que queima corações despreparados.

mar *(s.m.)*

é a cama das estrelas. é o melhor amigo da lua. é memória da boa infância. é sonho de criança. é um dos infinitos que terminam. é o lar dos aventureiros. é a história de pirata antes de dormir. é a sensação de ser abraçado pelo mundo.

é quem beija a praia o tanto de vezes que eu queria poder beijar seu rosto.

loira *(s.f.)*

é coroa em fios de sol. é trança feita de luz. é para quem Van Gogh emprestou o amarelo do girassol. é vontade em dégradé. é brilho que ilumina corações perdidos. é quem divide espaço com o sol.

é quem transborda a luz do coração em tons de dourado.

rosa *(s.f.)*

é a natureza amando quem a vê. é quem conquistou os contos de fadas. é prova de amor. é presente que vem do coração. é quem planta paixão no próprio quintal. é entender que o bonito também machuca. é aquilo que você me deu um dia e eu nunca esqueci.

rosas e amores, se não cuidados, murcham.

o zodíaco

o zodíaco

O que diz o cabelo dela a respeito da mulher que ela é?

Diz nada. Ele grita, conquista, encanta, prende, dança.
Mas dizer, dizer, não diz, não. É "descomportado", é atacado,
é bem cuidado. Olha só para como ela cuida dele. Como você
pensa que ela cuidaria de você? Bem, isso se você fizer parte
e estiver enraizado na vida dela, como o cabelo dela.

Uma ariana de juba, onde já se viu? Tem dia que parece
mais leonina do que tudo, mas é só a juba. É só o sol ao
redor dela. É coisa de quem tem um pé no fogo e uma mão

no peito. O coque dela é uma coroa. Os fios que escapam
são como aquelas brasas que fogem da fogueira, sabe?
Queimam, mas nem tanto. Esquentam, mas por pouco.
Mas dão o sabor do fogo e compõem a obra do todo que ele é.

Os cabelos dela são inteiros de outro inteiro. Se a ressaca
estava nos olhos de Capitu, o que faz de Fernanda cigana
é o cabelo. Penteado que fica alheio ao vento, teimoso
como quem ruge. Fernanda se entrega ao próprio fio
como quem penteia ouro. E adivinha? Com ela brilha
o ouro como nunca brilhou na mão de um tolo.

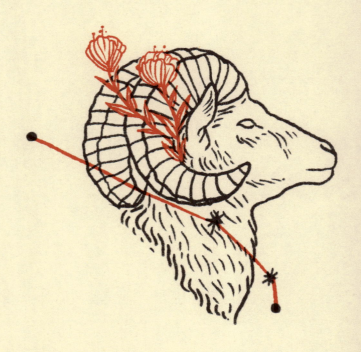

áries (s.m.)

é ter punhos cerrados de teimosia. é dar um gancho de direita na vida quando ela te derruba. é a própria chama da fogueira da alma. é queimar quem chega perto. se quiser viver com fogo, que se acostume com o calor. vontade de tatuar? tatua. vontade de viajar? viaja. vontade de amar? ama. é matar ou morrer, é dar vida e viver.

medo? fogo não sente medo.

touro (s.m.)

é sentir profundamente. é lembrar o cheiro do seu perfume e a textura da sua mão. é conquistar por teimosia e guerrear pelo prazer. é ser realista e temer expectativas. é saber que certas vezes somos, sim, egoístas e que tudo bem. é não dividir a batata frita.

é saber que ciúme é uma forma de proteção para corações grandes demais.

gêmeos *(s.m.)*

é ser boa companhia para uma mesa de bar.
é falar, falar e falar. é ser fogo que ora acende,
ora apaga, ora acende, ora apaga, ora acende, ora
queima. é te amar segunda, te desejar de terça
a quinta e terminar na sexta. camaleoa cuja cor
preferida é: todas. é (precisar) querer mais 24h
por dia.

é o plural do próprio singular.

câncer (s.m.)

é o excesso em um ser. é ter espaço no peito para dois corações. é rio que segue o fluxo, trilha pela qual escorre a lágrima. é planejar viagens e mirabolar futuros logo depois do primeiro beijo. filha do mundo. é pôr debaixo das próprias asas quem a gente ama. é ser lenha na fogueira emocional da vida.

"quem é mais sentimental que eu?"

leão (s.m.)

é possuir um espírito em expansão. é ser em excesso. é muitas vezes ser visto como vilão. é ter coração de ouro, forjado no próprio fogo da paixão. é saber que às vezes orgulho não é pecado. é rugir mais alto do que a própria dor. é querer tudo pelo medo de ser nada e mesmo assim estar disposto a entregar tudo pela pessoa amada.

é quem coloca a mão no fogo por amor.

virgem (s.f.)

é saber que a essência da ordem é o próprio caos. ou seja, alma que bem organiza as coisas um dia já foi bagunça por inteiro. é dar valor para o próprio conforto e entender que nem tudo precisa mudar. é meditar com o coração. é a paz na própria inquietude.

é artista que pinta a vida em detalhes, mas sabe que nem só de detalhes se faz a vida.

libra (s.f.)

é medir demais as ações por medo de magoar alguém. é magoar alguém por medir demais as ações. é não saber escolher o filme no primeiro encontro. é saber que certas vezes algumas qualidades são defeitos e alguns defeitos são qualidades. é saber ver os dois lados da mesma moeda.

filha da justiça. o amor sempre pesa mais na balança da vida.

escorpião (s.m.)

é intensidade que rasga o peito alheio, mas antes rasga o próprio peito. é sentir dor e não mostrar. é sentir amor e transbordar. é ter no peito um mar tão profundo que engole quem não souber nadar, mas acolhe quem não tiver medo de mergulhar. é ferir por amar demais. é proteger quem se quer mais.

é ser veneno e cura ao mesmo tempo.

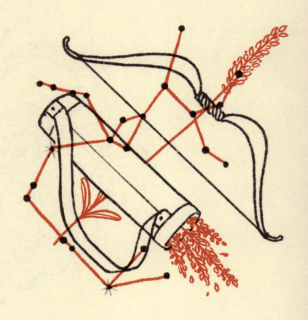

sagitário *(s.m.)*

é indomável feito o vento. é marinheiro dos sete (a)mares. é filho da liberdade. é manter os pés firmes no chão feito raízes no próprio ser, só para acertar as nuvens com precisão. é o bom humor encarnado, atira sinceridade para todo lado. independentes, são o arco, a flecha e o próprio arqueiro.

aventureiro, filho do mundo. amante do próprio amor. parceiro do crime perfeito.

capricórnio (s.m.)

é a teimosia em forma de resistência. é a força em forma de segurança. é um coração banhado em paciência. é entender que finais existem e nem sempre são felizes. é saber que novos começos sempre existirão, basta dar o passo certo em sua direção. frieza é técnica de combate. carregam no peito uma fornalha prestes a queimar de amor e lealdade.

dificuldade é combustível. sonho é objetivo.

aquário (s.m.)

é ser inquieto. é querer dizer demais e engasgar com muitas palavras. é machucar sem querer por ter medo da decepção. é ter um guarda-chuva para não se molhar no incômodo alheio. é sentir que nasceu no tempo errado. é simplificar o complicado e complicar o simples.

é inventar muito por medo de destruir tudo.

peixes *(s.m.)*

é transbordar de tudo, da realidade e das pessoas. de si mesmo. é sentir o mundo. é ter uma alma tão presente que dói o corpo. é saber exatamente quando se isolar em busca de calmaria. é saber que "perdido" também é uma direção.

é ter os pés num rio, a cabeça no céu e o coração nadando por aí. (não me pergunte onde.)

o coração

o coração

Ela me perguntou: "Por que relacionamentos machucam?".

Relacionamentos machucam antes de acontecerem, enquanto acontecem e quando acabam. Tudo isso até encontrarmos o certo.

Uma pena que isso acabe acontecendo quando duas pessoas se envolvem. Duas pessoas profundamente imperfeitas e sentimentais, repletas de necessidades, manias e traumas. Recheadas de vontades, sonhos e expectativas, essas coisas que apenas comprovam nossa humanidade. O amor para o ser humano é um jogo de azar, é uma aposta que fazemos de olhos fechados. Em vez de fichas, entregamos nossos dias. E, em vez de dinheiro, o prêmio é receber os dias de outra pessoa também.

Da nossa imperfeição e humanidade que vem a imprevisibilidade, sabe? E essa coisa de ser imprevisível torna tudo incrível. Somos imprevisíveis até mesmo para a tristeza. Sabe aqueles momentos em que do nada ficamos felizes e com vontade de mudar nossa vida inteirinha? A tristeza não prevê isso. São esses os momentos

em que a gente precisa se agarrar quando as coisas desandam.
Trens que saem do trilho são livres para irem aonde quiserem.

Mas o amor não vale a pena? Claro que vale! Se não fosse o
amor para tirar a gente dos trilhos, quem iria fazer isso?
A gente precisa entender que o amor às vezes dói e que está tudo
bem com isso. O relacionamento perfeito não é legal. A gente
briga, discute, compra presente do tamanho errado, enfrenta
fila junto, viaja, experimenta pratos ruins e sobremesas boas.
O relacionamento perfeito é imperfeito, igualzinho a nós dois.

Amor para mim nunca foi árvore, sempre foi fruto. Alguns são
doces demais, outros apodrecem, e a maioria tem sementes que
não vingam. O mais importante é nunca parar de procurar aquele
cujas sementes você plantará na frente de casa para nunca mais
perder de vista. E das sementes virão frutos para a vida inteira.

E, moça, saiba que você é a semente que alguém procura.

serendipidade *(s.f.)*

é o acaso de roupa bonita. é uma chance que a vida deu. é o universo mandando um abraço. é achar um amor para chamar de meu. é tropeçar num momento feliz. é não esperar e se encontrar bem. é o sentimento de acordar alegre sem motivo aparente.

é sorrir por acidente.

ritmo *(s.m.)*

é o batuque do meu coração quando esbarrou no carnaval do seu sorriso. é a melodia com a qual eu declaro o meu amor. é quem guia a dança da vida. é particular de cada um. é a nossa respiração em sintonia. é aquilo que, quando a gente perde, desespera.

mas um dia ela me disse que sair do ritmo às vezes é parte do plano. respira.

conselho *(s.m.)*

é um pedacinho nosso que a gente ofereceu para o outro. é um pouco do que aprendemos com a vida. é sincero quando é dado com carinho. é um abraço até mesmo em quem tá longe. é um jeito de mostrar cuidado. é aquilo que, quando bem dado, mata qualquer aperto no peito. certa noite Maria Júlia salvou minha madrugada com eles.

é preciso estar de coração aberto para bem receber. eu recebi.

saudade *(s.f.)*

aquilo que eu deixei em São Paulo. aquilo que meu coração jura ter largado por lá e sente um aperto só de pensar. um sorriso que eu não dou faz semanas. um abraço que eu não dou faz anos. é aquela vontade danada de entregar um beijo atrasado. um show na chuva.

a galeria de fotos do meu celular.

Deus (s.m.)

é o que cada um guarda no coração. é quando o universo te abraça. é cais em tempestade. é a gratidão em meio ao ódio. é o pai da esperança. é sobre caminhos que fortalecem. é ser morada. é saber ser respeito e respeitar. é abraçar meus pais. é o todo bom. é saber que somos passageiros.

"do crente ao ateu, ninguém explica Deus."

determinação *(s.f.)*

é acordar cinco e meia da manhã, cinco vezes por semana. é fazer o que for preciso. é seguir em frente, enquanto "em frente" for a direção que você quiser seguir. é quando você levanta de uma queda. é ignorar o tempo e focar no motivo.
é ensaiar sem voz. é estudar sem livro. é a irmã da persistência. as pessoas aplaudem o seu sucesso, comentam o seu fracasso, mas não fazem questão de saber da sua determinação.

é ir contra o mundo inteiro, se for preciso, para realizar um sonho.

decepção *(s.f.)*

é ver alguém em que você confiava te dar as costas. é abrir a porta e não ter ninguém. é ter trinta segundos de coragem insana numa festa para falar tudo o que você sente e encontrar a pessoa acompanhada. é quando cuidamos demais de pessoas que não cuidam da gente. é ver seu "melhor amigo" ficar do outro lado, te julgar o errado.

nome dado para suspiros pesados demais e uma vontade repentina de voltar no tempo.

inspiração* (s.f.)

é uma nuvem dourada carregada de boas ideias. é chuva de vontades que chega do nada e faz a gente querer sair do automático e criar. é o que faz grandes ideias navegarem os sete mares. é aquilo que tira do papel uma música nova e transforma uma pilha de rascunhos num best-seller. *cuidado para não se tornar dependente demais; ela nem sempre aparece, e a gente precisa aprender a viver sem ela.

é respirar sonhos em meio à poluição de desânimos diários.

confiança (s.f.)

é um compromisso. é ingrediente principal de boas amizades (caso esteja estragado, hora ou outra você vai perceber). é emprestar seu livro preferido. é abrir a porta da sua casa para quando alguém entra na sua vida. é o que faz a palavra de alguém valer mais do que um contrato. é o maior causador de "caras quebradas" mundo afora.

é um dos bens mais importantes que alguém pode lhe dar. não quebre. não quebre!

migalha *(s.f.)*

restos. pequenos pedaços de algo que um dia foi inteiro. é o que não satisfaz, mas engana bem.
é do que alguns corações se alimentam sem perceber.

era o amor que você me dava, e eu, idiota, aceitava. preferia implorar por pouco do que não ter ninguém.

coragem *(s.f.)*

é quando vivemos com o coração, e não com a cabeça. é o nosso instinto contra a razão. é lutar contra chances baixas demais e situações ruins. é o bicho-papão do próprio bicho-papão. é estratégia de combate para derrotar o inesperado. é a ação que refuta a lógica. é o que faz o jogo virar.

do latim *coraticum*, significa "coração em ação".

gratidão (s.f.)

é o que sinto quando perco meu ônibus e recebo uma carona de última hora. é um agradecimento sincero. é o sentimento que nos torna menos egoístas. é o que sinto quando estou doente sem poder sair de casa e minha melhor amiga muda todos os seus planos e vem assistir Netflix comigo. é o que aquele seu amigo artista sente quando você vai ao show dele (por menor que seja).

é uma flor roxa.

nefelibata *(s.m. e s.f.)*

é quem desobedece o racional. é uma pessoa que vive nas nuvens, com os pés e a cabeça. é um andarilho que segue a própria vontade sem pensar demais. é o inimigo número um das regras e das estatísticas. é quem foge da realidade. é quem deu nome para o próprio mundo, é rei e rainha da própria cidade.
é quem, de idade, tem as estrelas.

é quem não desiste de sonhar. nunca.

esperança *(s.f.)*

é a melhor amiga de um coração apaixonado. é a última a morrer nas mãos de um lutador. é imortal nas mãos de um sonhador. é produto em falta nos dias de hoje. é a causa principal da decepção e a causa principal do sucesso. é tipo vestido de mãe: a gente se agarra quando sente medo. fácil de perder. difícil de achar.

anda de braço dado com a vontade.

empatia (s.f.)

não é sentir pelo outro, mas sentir com o outro. é quando a gente lê o roteiro de outra vida. é ser ator em outro palco. é compreender. é não dizer "eu sei como você se sente". é quando a gente não diminui a dor do outro. é descer até o fundo do poço e fazer companhia para quem precisa. não é ser herói, é ser amigo.

é saber abraçar a alma.

mãe *(s.f.)*

é um termo usado para designar um coração capaz de amar infinitamente. é sentir por dois, sorrir por dois, sofrer por dois. é dar o melhor de si, duas vezes. é aquela que cura com um abraço. que sara machucado com um beijo.

aquela que deu à ~~luz~~ amor.

solidão *(s.f.)*

é estar desacompanhado. é isolamento fino.
é um baile sem convidados. é não ouvir sua voz
por mais de mês. é sentir saudade em vão. uma
das candidatas ao mal do século. espaço para
pensarmos melhor na vida. irmã mais velha do
silêncio. é dormir numa cama sem travesseiros.

é o que sinto ao saber que somos só história.

rancor (s.m.)

é veneno para a nossa alma. apodrece o coração. é não esquecer quem nos machucou. é quando a gente visita lembranças ruins. é um alfinete que espeta o balão do meu bom humor. é guardar uma memória do jeito errado. é dar poder para quem nos fez mal.

como eu me livro do rancor? perdoando.*
*perdoar não é aceitar, é seguir em frente.

desinteresse *(s.m.)*

é aquilo que você sente por mim e pelo jeito como eu te olho. quando tudo é motivo para não dar atenção. é nunca ser prioridade. é ser deixado de lado (de propósito). é te chamar para ir ao cinema e ouvir um "vamos tentar", mas você nunca tentar.

é quando a indiferença mata um coração à queima-roupa.

culpa (s.f.)

é errar com quem se gosta. é sentir pesar as próprias costas. é a multa que a vida entrega pela porta da frente. é o preço de decepcionar alguém. é dívida difícil de superar. às vezes é cicatriz que nunca vai sumir.

é perceber do jeito mais difícil que nem tudo se perdoa.

âmago *(s.m.)*

é a alma da sua alma. é o mais puro do ser mais corrupto. é o mais sensível de um ser humano. são as suas manias mais estranhas. ingrediente principal da receita de ser você. figurinha-
-brilhante-não-repetida. unicidade.

olhe no espelho. olhe nos seus olhos. é isso.

orgulho (s.m.)

é escudo. é mecanismo de defesa. é pecado último. é aquilo que, se mal usado, cega o próprio portador. é instrumento perigoso, difícil de ser dominado. é ver seu amigo lançar o primeiro livro. é abraçar as vitórias com vontade. é o que enche minha boca ao falar de quem eu admiro.

é o que ergue um império. é o que derruba um rei.

crescer *(v.)*

Rubel diria que é quando os dentes caem e as pernas crescem demais. é o inevitável. é ter a obrigação de ter obrigações. é ter que falar difícil e não saber muito bem por quê. é trocar os brinquedos por responsabilidades. é quando a mesada vai embora e a gente brinca de pega--pega com um novo amigo: o salário. é tirar sangue sozinho pela primeira vez. para o meu irmãozinho, é "ficar grandão!".

é crer e ser.

perdoar *(v.)*

é aliviar através da própria voz. é remédio contra o rancor. é estender a mão da própria alma. é dizer "tá tudo bem". é despertar um sorriso desacreditado. é abraçar um corpo "desabraçado". é a segunda chance. é balança que pesa o passado e o futuro. é redenção.

é **doar** compreensão para quem se **per**deu.

coração* (s.m.)

é a casa na qual moram pessoas especiais. tem gente que dá o seu para o outro. e tem gente que recusa o presente. o meu para quando você me olha. é a máquina que bombeia sangue para o corpo e sentimento para a alma. aquilo que não é tão simples quanto pensa, cabe uma penteadeira e três vidas inteiras. cabe até... amor.

*produto frágil, pode quebrar.

pai *(s.m.)*

alguns moram com você, outros não. era quem te levava ao cinema para ver aquele filme que sua mãe não deixava. é aquele que enche a boca de orgulho para falar da gente. é quem me ensinou que todo mundo erra, inclusive ele (e que tá tudo bem). é quem nasceu de novo vendo a gente nascer.

"você cabia aqui na minha mão."
e você, pai, independente de tudo, cabe e sempre vai caber bem aqui: no coração.

vontade *(s.f.)*

é de te ligar, te procurar. é o nome do que me faz abrir sua conversa no WhatsApp vinte vezes por dia (e o medo me faz fechar sem mandar nada). é o sentimento que brota no meu peito quando vejo sua foto nova no Instagram (dou like ou não?). é semente que às vezes floresce sucesso, às vezes, decepção. é o que falta em muita gente.

é como se chama aquilo te faz pegar três ônibus para ver alguém.

pressa *(s.f.)*

é a respiração fora de ritmo. é a vida em movimento não natural. é não respeitar o ritmo do outro. é fazer acontecer fora do tempo previsto. é cegueira temporária. é sair do ônibus e descer na parada errada. é esquecer a chave em casa. é um pedido de namoro antes da hora.

é, talvez, jogar fora a chance de as coisas darem certo.

inveja *(s.f.)*

é espada inversa. sorte reversa. é um café sem doce algum. é forte. é o que poucos gostam de beber. é o irmão bastardo do ciúme. é quem tem valor espinhoso. é areia quente demais para pés sensíveis demais. mas, ainda assim, areia. faz praia. faz verão.

é uma parte de ser humano, mantenha sob controle.

sangue *(s.m.)*

é a vida escorrendo em vermelho. é o que corre pelo corpo da nossa alma. é o estado líquido dos meus sentimentos. é o que derramou Caim.
é presságio de terror. é fato consumado de nossa mortal humanidade. é um diamante. é aquilo que verdadeiros anjos doam. melhor amigo de Quentin Tarantino.

é o que não ferve por calor. ferve com amor.

medo *(s.m.)*

é a sirene da alma. palpitações de aviso. é o mensageiro que invade meu corpo dizendo que algo vai acontecer. é o frio que a gente sente pela espinha. é o irmão mais velho do desespero. é o pai dos filmes de terror. é uma força da natureza, mais velha do que o próprio bicho-papão.

cuidado para não alimentar demais. senão ele foge do controle e devora você.

lágrima *(s.f.)*

é amostra grátis do mar. é às vezes fragmento de tristeza, às vezes de alegria. é quando a nossa alma chove para fora do corpo. é quem te invade o rosto sem pedir licença. é prova da nossa humanidade. sensível ao toque.

é quando nosso espírito racha e a gente vaza.

amor *(s.m.)*

é o resumo do infinito. é o laço entre dois corações. é um sorriso frouxo demais. é quando a gente escuta o mundo inteiro no silêncio de alguém. é o ópio do coração. é um cafuné bem-feito. é encontrar um lar em outro peito.

às vezes tem quatro patas e um focinho. às vezes tem nome. e quando vai embora...

fé *(s.f.)*

é aquela voz que te abraça e diz que tudo vai passar. é o que rega a paz para colher o bem. é aquela verdade que mora no coração. Projota gostaria de acrescentar: foco e força. é aquilo que não se explica (nem precisa). é o que move um corpo quando fraco. é aquilo que te faz acreditar (no que você quiser crer).

é o que não te deixa desistir de lutar.

chorar (v.)

não é fraqueza. é uma demonstração sincera de humanidade. é quando transbordamos. é uma chuva feita de lágrimas. é nosso corpo fazendo poesia em silêncio. é um momento particular. é o que fiz quando nosso amor acabou. quando meu melhor amigo se mudou. quando ela foi para o hospital. quando caí da bicicleta pela primeira vez.

é o que faz a nossa alma se lavar de tudo o que suportamos até ali.

felicidade (s.f.)

é uma visita que nunca toca a campainha, já chega fazendo festa. se arrumamos a nossa casa para a receber bem, ela não vem. tem hábitos imprevisíveis. é uma amiga querida. é um abraço sincero direto na alma. é aquilo que encaixa perfeitamente no seu sorriso. é um brigadeiro de leite Ninho com Nutella. é acordar tarde no feriado. é amar e ser amado.

é clandestina, então, dica: aproveite muito as visitas que ela fizer em sua vida.

a mente

a mente

Menina, quem te viu?
Ora, eles te veem.
Menina, você já se viu assim?
Conta para mim,
me diz que sim.
Me diz que a vista do espelho é bonita
e que a maresia do seu cabelo
repousa bem.
Me diz que sente orgulho da cor do seu batom
e que é pelos seus olhos
que você,
e só você,
escolhe o tom.
Menina, me diz
que aí no Rio
faz frio.
E que o casaco quem usa
é você.
Menina, me diz que em São Paulo
falta amor.
Mas me diz que o coração que sente
por você
é o seu.
Menina, me diz aqui,

o que tem escrito nos seus olhos?
Já parou para perceber
que a gente tem vergonha
de se olhar por muito tempo?
Ou é incômodo?
É o medo de perceber que os olhos
com os quais tanto enxergamos
são de outras
pessoas?
Não tenha medo.
Menina, abre o olho
e enxerga o seu amor.
Que rosto bonito você tem.
Menina,
já olhou no fundo dos olhos de quem te chama
de "meu bem"?
Faz você, então.
Amar a si mesmo
é um puta remédio
para o coração.
Se olha no espelho
e diz que é você quem você
vê,
menina.

devir *(s.m.)*

é um processo de mudanças pelas quais todos os seres passam. é uma lei geral do universo, que cria, destrói, reconstrói, ensina e engrandece. nada permanece igual ao que era no início. é a prova de que não somos à prova de sentimentos pesados demais, que corações fortes também choram e que segundas chances são reais (para quem merece).

é a chance de ser alguém melhor.

oblívio *(s.m.)*

é um coração abandonado. é o sentimento de te procurar infinitas vezes sem resposta. é um grito no vazio. é saudade em corpo frio. é a falta da própria falta. é brindar sozinho num bar.

é a sentença final da existência.

ressignificar *(v.)*

é olhar de dentro para fora. é encontrar novidade no que a gente vê todo dia. é saber que as coisas mudam tanto quanto pessoas. é recriar o que um dia foi criado. é a própria regra. é saber lidar com o novo. é perceber que tem um pouco da gente em tudo o que a gente faz. é um exercício de autoconhecimento.

é um ato de extrema liberdade em que a gente pinta o mundo à nossa volta do jeito que a gente vê.

esquecimento (s.m.)

é o único mal que consegue matar o amor.
é quando a saudade tem prazo de validade.
é o nada. é aquilo que ausências demais podem
causar. é o silêncio quando eterno. é a última
tentativa de um coração atormentado. é para
onde gostaríamos de mandar dias ruins. também
chamado de: oblívio.

inevitável, diria Hazel Grace.

inefável *(adj.)*

é encontrar alguém disposto a se entregar no meio desse mundo de pessoas desinteressadas e com medo de se apaixonar.
é aquela viagem de fim de ano com a pessoa certa que a gente esperou tanto para poder fazer.
é como se chamam dias bons demais para serem descritos.

é aquilo que narra por suspiros e sorrisos.

ansiedade *(s.f.)*

é se sentir preso em si mesmo. aquilo que me faz dormir até o mais tarde possível só para não precisar pegar meu celular e descobrir que você não mandou mensagem. é ver sangue em machucado raso. é gritar sem voz. é sentir que meu pulmão ficou três vezes menor. mal que assombra quem costuma se entregar demais. o que me tira o sono e me mata o sonho.

palavra de cinco sílabas inquieta demais para a bula do meu remédio.

solitude *(s.f.)*

aquele momento do banho no qual você bate um papo consigo mesmo e chega a conclusões que nunca seriam alcançadas numa mesa de bar. estado no qual a pessoa resolve tirar o coração do dia a dia e deixá-lo de molho numa banheira repleta de pensamentos.

ilusão (s.f.)

é vizinha da mentira. é o que alguns usam de escudo (e eu não os julgo). é quem se esconde da verdade. é veneno que faz expectativas crescerem e morrerem um pouco antes de florir. às vezes não é nossa culpa. mas às vezes vira um vício pensar que é. é aquilo que aparentemente dói menos que a verdade. mas o "aparentemente" também é ilusão.

é uma casa sem teto, porta ou amor.

tempo (s.m.)

é o que todo mundo diz não ter. é aquilo que todo mundo gostaria de ter mais. crianças, mais dez minutos. adultos, mais um sábado. um presidente, mais quatro anos. um casal... mais um segundo. o melhor remédio para coração partido. o pior consolo de um amor perdido.

quanto menos se tem, mais se valoriza.

acaso *(s.m.)*

é o que faz a gente se encontrar. é quando acontece o inesperado. é a vida tentando fazer surpresa. presente fora de época. é quando eu esbarro contigo na fila do cinema. é quando encontro sem querer alguém que faz muita falta. é o sorriso mais gostoso. é um show da Florence + The Machine. o melhor amigo de amantes que moram longe. o pior inimigo do destino.

a melhor forma de se apaixonar. por acaso.

viver* *(v.)*

é estar com quem a gente gosta. é trocar mensagens. é viajar por entre cidades e abraços. é um festival de música. é a sensação de fazer valer cada segundo. é quando a gente aprende a existir do jeito certo. é criar passados, aproveitar presentes e inspirar futuros. é não sentir em vão.

*produto com prazo de validade (aproveite).

obsessão *(s.f.)*

filha da insegurança. é quando você tem mais fotos dela do que suas. é exagero que consome. é repetição desnecessária. sentimento que ilude e inventa história. mãe do ciúme. sentimento abusivo que sufoca você e ela.

é quando a gente desiste da própria vida para ser parte da vida de alguém e coloca a culpa no "amor".

verdadeira *(adj.)*

é uma relação feita de ouro. maleável. mesmo quando entorta, a gente dá um jeito de arrumar. adjetivo de fina qualidade e, se junto da palavra "amizade", eu tenho certeza que é para se guardar bem. é joia rara. é diamante que faz mais do que só brilhar. é ligação que não se acha, se constrói.

é laço forjado pelo calor da confiança.

dor *(s.f.)*

é um beliscão da vida para a gente saber que fez coisa errada. lembrete. é incômodo. às vezes é na cabeça, às vezes é na barriga, às vezes é na alma mesmo. pode ser física e emocional. remédios às vezes mandam embora, mas dormir sempre resolve. não é vilã, é só uma mensageira mal-encarada.

post-it na geladeira da alma.

desistir (v.)

é medida de ação diante de desafios difíceis demais. é deixar de lado. é abrir mão. é virar as costas e ir embora. é dar desculpa para não ir mais àquela festa. é interromper algo antes do final. é deixar alguém na mão (inclusive você mesmo). é serial killer de sonhos. é o melhor amigo do "impossível".

é aquilo que eu não vou fazer. jamais.

palavra *(s.f.)*

é arma. é escudo. é pedido de desculpa. é do que são feitas as cartas de amor. é ingrediente principal de uma boa conversa. é um punhado de letra se abraçando. é a melhor amiga do poeta. é a mãe da literatura. usada da forma errada: tortura. nas mãos do escritor certo: cura.

é, na humilde opinião de Alvo Dumbledore, nossa inesgotável fonte de magia.

indiferença (s.f.)

é quando eu te laço num abraço de braço a braço e você só encosta seu peito no meu. é quando minha mensagem não é prioridade. é quando eu te chamo para sair e você "vai ver", e nunca vê. é quando alguém não faz peso na sua vida. é não fazer questão. é tornar raso um ser humano. é como um truque de mágica: faz alguém desaparecer.

a sua matou meu coração à queima-roupa.

lembrança *(s.f.)*

é uma cicatriz na parede da nossa mente. é um quadro pendurado na casa do nosso coração. é ingrediente para suspiros. é uma rádio que só toca memórias. é um trem que constantemente me leva para passear no passado. é uma noite de pizza no seu sofá. é um cheiro que eu nunca esqueci. é um lembrete da vida para a gente dizendo "ainda há muito para ser vivido".

é o fogo que costuma atear saudade em mim.

acordar *(v.)*

é culpa do despertador. é culpa das obrigações.
é culpa da rotina. é sair do sonho na hora boa.
é ser salvo de um pesadelo. é um novo início.
para algumas pessoas, o dia não muda quando
passa da meia-noite — o dia só vira depois de
dormir. quando usado numa frase, geralmente
vem próximo das palavras "preciso" e "cedo".
é sair de um sonho e cair na real. é cair na real.
é cair na real.

é quando eu olho para o lado, ainda deitado,
e sinto falta de ver alguém.

calma *(s.f.)*

é aquilo que me passa a sua voz. é quando o coração acha conforto. é a alma acomodada no próprio corpo. é respirar de um jeito bom. é fruto que se colhe de bons conselhos. é quando a gente olha para a nossa essência, não para um espelho. é se importar de menos com quem quer demais da gente.

é alma com c.

resiliência *(s.f.)*

é ir à guerra e voltar. é sentar com seus demônios numa mesa de bar e... conversar. é apanhar de todo lado e levantar. é ter espírito boxeador, dar ganchos de direita nas dificuldades e nocautear a própria dor. Tiago diria: "quem sete vezes cai, levanta oito". é limpar o rosto depois do choro. é a mãe solo, grávida aos dezenove, que trabalhou para estudar e estudou para trabalhar e, com um sorriso no rosto, ignorou os julgamentos e cuidou do filho que tinha para criar.

é ter uma alma-água, que se adapta ao co(r)po em que estiver, da melhor forma que puder.

amizade *(s.f.)*

é fazer macarrão com queijo em plena terça-feira. é falar de amores, é entender as dores. é gostar das mesmas séries (e, caso não, é dizer que a sua série favorita é melhor). é acreditar um no outro. é ter influência sobre as influências. é atar laços antes mesmo de saber que eles existem. é querer se ver em Brasília, se ter em São Paulo e se abraçar todo dia. é acaso que a gente casa.

é o crime perfeito.

vazio *(s.m.)*

é paralisia emocional. é um túnel sem fim, por onde escorre o meu ser e tudo o que me faz vivo. é desaprender os sentimentos. é o nada do próprio nada. é quando a ausência alcança seu estágio final. voraz. é o umbral do próprio coração. é ser consumido.

é quando o esquecimento beija a eternidade e juntos abraçam a minha alma.

ter* *(v.)*

é expectativa. é vínculo possessivo. é quem mata a espontaneidade. é aquilo que nasce do próprio desejo. é o amigo ansioso do querer. é competição desleal consigo mesmo. é ser mais dono de algo do que de si. amigo de infância do egoísmo, vizinho do sucesso. às vezes é a pá que cava a nossa cova.

*cuidado: sentimento inflamável.

passado *(s.m.)*

é uma caixa vermelha empoeirada repleta de brinquedos da velha infância. é meu álbum de formatura. são fotos de pessoas com as quais não converso desde o ensino médio. é onde se perpetuam bons amigos. lugar no qual erros deixam manchas. é o que nenhum ser vai mudar. é o pai da nostalgia.

é o pilar que sustenta o futuro.

erro (s.m.)

é ponte entre dois acertos. é aquilo que todo campeão já cometeu. é uma das essências de ser humano. é a linha que liga os pontos mais distantes. é um professor que não tem voz, cheiro nem cor. é lição. "foi crer que estar ao seu lado bastaria."

errar não é ruim. ruim é não admitir que errou.

depressão *(s.f.)*

é o vazio que consome seus dias um por um. é o lençol de uma tonelada que te impede de levantar. é minha alma excruciando. é o que devora meu presente. é guerra espiritual.
é isolamento involuntário. é não sentir nada a ponto de querer sentir qualquer coisa. é muita sílaba para uma bula de remédio só. é definhar em pensamentos mortos.

não é frescura.

trevas *(s.f.)*

é a irmã mais velha da luz. é aquela que existe quando mais nada existe. é a ausência do próprio nada. é quem teceu a noite. é aquela que presenciou a criação. estágio final da escuridão. agouro divino.

é cegueira emocional. é presságio último.

sintonia *(s.f.)*

é quando o nosso santo bate. é aquilo que fez a gente ter um mês de amizade e parecer dois anos. é querer ver o mesmo filme. é quando a gente se encontra no mesmo lugar sem marcar. é suspirar ao mesmo tempo. é um aperto de mão entre duas almas. é o som da harmonia entre duas vidas.

é sintonizar na estação de outro alguém.

eudaimonia (s.f.)

é como se chama a sensação de ser tomado por um sentimento bom sem explicação. é aquela vontade de viver que surge quando menos se espera e mais se precisa. é o universo nos dando um abraço de esperança. é sentir que somos o melhor de nós.

é aquela sensação de ano-novo de que tudo pode ser melhor. e é.

singularidade (s.f.)

é como se chamam eventos únicos, de características especiais. é algo que surpreende, de comportamento imprevisível, mas encantador. é uma curva infinita que não obedece a regras. é o que torna alguém diferente de todas as pessoas que possam ter passado um dia na minha vida.

basicamente, é como eu descrevo o dia em que a gente se conheceu.

sonho *(s.m.)*

é a semente mais querida do jardim da nossa vida e a mais difícil de fazer florescer. tem que regar todo dia com dedicação e vontade. tem que adubar e proteger da secura do desânimo. é a nossa parte mais sincera. é quando a gente deixa de lado todos os "mas..." e diz o que realmente quer e é. a gente pode ter mais de um, não tem problema. o problema é desistir.

a cidade

a cidade

Vi você no carro hoje mais cedo, cheia de pressa, parada no sinal, do meu lado, tirando as coisas da sua bolsa e botando no banco, tirando do banco e botando na bolsa. Se olhando no espelho, esquecendo, outra vez, que eu existo ou estou por perto. Vi você com o cabelo preso escondendo a cor que eu tanto gosto. Vi você por debaixo dos óculos que te protegem do sol e de qualquer outro olhar senão o seu. Às vezes até mesmo do seu. Tem dia que a gente não quer se ver e tudo bem com isso.

Vi você com aquela boca cerrada, que não me deixa saber se está ouvindo Melanie Martinez ou Duran Duran. A mesma boca cerrada que conheci há muito tempo e que não dizia nada, nem mesmo emitia antipatia. A gente confunde a cara dos outros com a cara que a gente acha que eles deveriam ter. Cada um tem a sua cara. Uns têm sorrisos mais abertos e permanentes do que outros. Mas sorrisos permanentes e rostinhos carismáticos não significam simpatia nem gentileza. Ela com aquela boca cerrada e cara fechada foi a pessoa mais aberta que me recebeu nos últimos tempos.

Vi você no carro do lado e lembrei de tudo o que a gente viveu. Lembrei do silêncio que envolve a gente faz muitos meses e lembrei que eu não paro de lembrar de você. Lembrei que quando me pego lembrando da gente eu sinto falta de poder lembrar de alguém. Percebo que tudo teve um fim. Acabou como começou, os dois em silêncio, deduzindo o que se passava na cabeça um do outro.

Vi você no carro e lembrei que você não dirige.
Não era você. Mas a saudade em mim me dizia que era.

enigma (s.m.)

é a curva da sua pupila. é um labirinto complexo demais para ser entendido. é um labirinto que precisa ser sentido. os seus olhos precisam ser sentidos. é uma qualidade particular de quem se faz difícil para a própria vida, sem querer. é um convite para navegar.

é meu coração jogando xadrez.

tatuagem *(s.f.)*

é cicatriz que a alma fecha. é marca de nascença que a vida se esqueceu de desenhar, e a agulha não. é quando o sangue vira tinta. é a história que eu não conto em palavras. é o quadro que eu resolvi não pendurar na parede da minha casa.

é quando eu visto minha pele nua com arte.

calmaria *(s.f.)*

não é uma tarde de domingo. é uma tarde contigo. é saber que a paz está mais na gente do que em volta de nós. é quando a sua amiga te indica uma playlist para dormir. é poder olhar para o nada e respirar. é olhar para alguém e não precisar falar. é ouvir a natureza sem sequer procurar.

é uma flor de cerejeira.

caos *(s.m.)*

é um quarto bagunçado. é uma cama desarrumada. é uma geladeira sem leite. é uma fila grande demais. é a entrada de um festival. é a balada depois de um shot. são todos os carros da rua. é uma parada a mais sem necessidade. é aquilo que tira a gente da zona de conforto. depois de vinte anos morando na calmaria, uma cidade caótica faz meus dias serem repletos de... paz.

então talvez o caos seja a paz de alguns.

artista *(s.m. e s.f.)*

é todo bem ou mal-aventurado no amor. é quem sente o que cria e acha que tudo o que faz é parte da criação. é quem perde o ar na hora de falar e mesmo assim fala. é uma condição do coração. é quem tem um caso com o inesperado. é quem se expressa pela genuína vontade de se expressar.

é uma forma de gritar para o mundo o que a gente sente quando o mundo grita com a gente.

fantasma (s.m.)

é uma imagem do passado que ainda vive.
é um vulto que se mexe quando a gente não está olhando. é uma prova de que o que foi vivido pode ser um eco sem fim no nosso coração.
é aquilo que nasce de algo que não foi terminado por completo.

é um pedaço do passado que assombra o seu presente.

invisível *(adj.)*

é quando você não dá bom-dia para o seu porteiro. é esbarrar e não pedir desculpa. é se sentir esquecido. é fazer duvidar da própria existência. é quando você cumprimenta seu vizinho e não recebe resposta. é como se sente o vendedor de amendoim no bar. é não ser abraçado faz mais de ano. é como se sente quem mais precisa ser visto.

não há vantagem em ser invisível. só solidão.

alergia *(s.f.)*

é a arma que os gatos têm contra mim. é a razão pela qual você espirra perto de pólen, e o que tornava irônica a sua paixão por flores (e você ainda mais singular para mim). é um aviso do nosso corpo. às vezes não é tão ruim assim, e a gente segura a barra por motivos maiores (como passar a noite com você, apesar dos dois gatos que com você moravam).

é a reação de ver alegria escrito errado.

perdido *(adj.)*

é ser ilha envolvida por um mar de desconhecidos. é estar envolvido com alguém e se sentir sozinho. é olhar para os lados repetidas vezes procurando abrigo. é procurar vaga num estacionamento lotado. é ter esperança mas não ter força. é te beijar e não te sentir beijar de volta. termo utilizado para designar minhas tentativas de amar alguém.

morte *(s.f.)*

é irmã gêmea da vida. juíza. é quando chega a seca no sertão. é se eternizar no próprio passado. quando acaba a bateria da alma. é parar o próprio relógio. pesada demais para quem não se apoia em aceitação. pouca sílaba para muita dor.

é quando o universo pede de volta aquilo que ele deu.

lar (s.m.)

é se sentir bem-vindo. lugar para onde a gente corre quando tudo fica mal. lugar de maior segurança do mundo. refúgio. nosso. possível de ser compartilhado com outras pessoas. melhor quando compartilhado. é se sentir parte de algo. pertencer.

o mochileiro é aquele que faz do mundo inteiro o próprio lar.

viajar *(v.)*

é viver o suficiente para se achar. é podar as próprias raízes. é brincar de ter asas. é máquina de fazer memórias. é desenhar um mapa com vivências. é atestar a imensidão do mundo.
é pegar carona no vento. é perceber que nossa casa é passageira, cidades são estações, e nós somos o trem.

é a gente conhecendo o mundo (ou o mundo conhecendo a gente?).

amanhecer *(v.)*

a lua, quando acorda, vira sol. é quando o passarinho canta mais alto. é a natureza dando uma oportunidade nova para fazermos tudo certo. hora em que a gente acorda de um sono bom. hora em que a gente volta de uma festa boa. quando o céu troca de roupa.

é o que quero fazer do seu lado para o resto da vida.

férias (s.f.)

é não ter trabalho para entregar. é botar os pés para cima e aproveitar. é quando eu pego um avião para o Rio ou para São Paulo. reza a lenda que nessa época pessoas assistem a quatro séries da Netflix ao mesmo tempo. é comer pizza no café da manhã. é um namoro com prazo de validade. Pokémon lendário que aparece geralmente nos meses de julho e dezembro.

é sair para beber numa terça-feira.

madrugada *(s.f.)*

é a cama na qual deitam meus pensamentos mais inquietos. é quando eu penso na gente e planejo tudo o que eu ainda vou te dizer um dia desses. é o edredom que cobre as estrelas. é a noite quando adulta. é fermento que faz crescer a paranoia. é o momento preferido das boas ideias (e das memórias ruins). é a irmã mais velha da insônia.

mãe da poesia e da boa balada.

instrumento (s.m.)

é meio. nas mãos de um artista, arte. é aquilo que se expressa do seu próprio jeitinho. é o que sozinho não alcança seu máximo potencial. nasceu para ser dupla de alguém. é conjunto. é inteiro sozinho, mas é inesquecível acompanhado.

pensando bem... é meu coração.

escuro* (s.m.)

é onde vive o bicho-papão (diria meu irmão). é quem bota medo até em adulto. é aquele que invade o corredor da sua casa e te afronta na hora de ir ao banheiro. é quando a luz tira um cochilo. *tem medo de abajures.

é o amante mais antigo da noite.

criança (s.f.)

é sorrir por causa de um sorvete. se lambuzar sem frescura de querer se limpar logo. é usar pantufas e roupas com personagens. é não entender as maldades do mundo. é um anjo que esqueceu de vestir as asas. é quem tem a risada mais gostosa. é um ser com energia 24h por dia. é aquela pessoa que acredita na bondade dos outros. é quem acredita que o nariz cresce quando mente.

é quem sabe dar amor sincero.

idade *(s.f.)*

é contar em anos o que deveria ser contado em momentos. é agrupar em números o tempo de vida de alguém. é um ciclo que se completa. são quantos invernos você viu chegar. tem gente que ainda conta nos dedos, outras preferem nem contar.

não é um número que vai dizer se sou velho ou novo demais. minha mente e minhas ações vão.

rotina *(s.f.)*

é ouvir o mesmo alarme toda manhã. é fazer coisas que eu me pergunto se queria mesmo fazer. é o roteiro do meu dia. eu me acostumei mas não sei se deveria. é o que mantém a máquina da minha vida funcionando. são os trilhos do trem do meu viver. é a melhor amiga da dedicação. filha da disciplina.

a melhor rotina é te ver acordar depois de mim e te dar bom-dia.

sofá *(s.m.)*

sentamos em diferentes quando nos conhecemos e compartilhamos o mesmo quando nos beijamos. é o lugar que concretizou nossas noites de sábado. é a testemunha de cada segredo nosso. o ninho dos meus cafunés. é quem viu nossa primeira briga. e o primeiro perdão. é um domingo sozinho. é quem tem o cheiro do seu cabelo.

é quem anda vazio demais depois que você se foi (a sala, o peito).

e a história de
nós dois

e a história de nós dois

Ei,
vi que se mudou.
E que
o sofá tem lugar para dois.
A casa tem lugar para mim?
O coração eu sei que é mais do que se pensa.
Mas na sua vida cabe mais um?
Não preciso de cama de casal,
só um bom-dia despenteado e um abraço daqueles que curam
qualquer mal.
Na mesa de jantar cabem os amigos
e no tapete sentam três.
Pela janela escapam nossos hinos antigos
que Caetano, Cartola e Chico
nos deram.
Na janela também vejo caber
os sonhos que eu trouxe na mala.
Não ocupam espaço,
mas precisam de ar.
O armário da parede é um tanto velho,
mas bom que seja assim.
Quero encostar ao lado dele
e ouvi-lo contar tudo o que já viu
só para mim.
Será que as paredes também falam?

E o que será que a porta vai me contar?
Quantas visitas por lá rodaram?
E quantas mais eles esperam ver entrar?
Casa quando cheira a poesia
faz do poeta
seu melhor morador.
Lava e cozinha,
mas senta encostada em qualquer rodapé
e faz poesia.
Se espirra,
escreve. Alergia a poeira passa,
poesia dentro da gente
sara.
Que casa bonita que você tem.
Quem adotou quem?
O coração eu sei bem
onde vai dormir.
No telhado com as memórias
e os desejos
e as estrelas.
Ouvindo o mar bater na praia
e o amor bater à porta de algum lugar.
Aí tem campainha?
Sou daqueles que bate três vezes
antes de tocar.

esquina *(s.f.)*

é o que liga o meu dia com o seu. é quando uma rua dá o braço para outra rua. é ponto de encontro. é o íntimo de um bairro. é a dobra da cidade. é onde vira minha vida quando eu quero te procurar.

fiz a da sua casa a minha favorita.

promessa (s.f.)

é a aliança que eu sempre quis te dar. é o aperto de mãos. é quando eu disse que nunca ia te esquecer. é o que nos faz lutar contra nós mesmos. é a filha mais velha da nossa honra. é o que às vezes faz a gente ter força para continuar.

prometer é um ato de caridade que nos incentiva a sermos pessoas melhores por pessoas que fazem a gente bem.

amar *(v.)*

é o amor enquanto acontece. é sair para jantar em terças-feiras chatas e se entregar nos braços de quem sabe te fazer bem. é saber que nozes lhe dão alergia. é morar sob o mesmo edredom durante algumas noites. é ser feliz por acaso. é planejar para que o mundo não acabe em nós. mas é pensar que, se for para o mundo acabar, que acabe enquanto eu estiver com você.

é aceitar o seu pé gelado no meu.

interesse *(s.m.)*

aquilo que eu sinto pela cor dos seus cabelos e pelo timbre da sua voz. é aquilo que me invade os olhos quando eu vejo você e esqueço que o resto do mundo inteirinho está ali do lado. é a sensação de querer te impressionar sem ao menos saber com o quê. moeda de troca do amor.

plano (s.m.)

conjunto de palavras que descrevem a vida que queríamos ter. andar de balão na Turquia. viajar para o Japão. se beijar na Tomorrowland. nome que se dá aos sonhos quando escritos na formalidade de um papel (mesmo que seja no guardanapo de um bar).

p.s. só planejar não realiza sonhos.

desejo (s.m.)

na língua inglesa vira *wish*, na nossa língua vira beijo. é o que eu sinto quando meu carro vira a esquina da sua rua mas eu não vou te ver. nome do ritmo que meu coração bate ao te encontrar. quando você tem planos tão grandes que não cabem no querer.

se eu tivesse três, pediria você três vezes.

abraço *(s.m.)*

o golpe mais efetivo contra a saudade. é quando a gente se encaixa perfeitamente um no outro. quando a minha alma beija a sua. é a ação de encostar um coração no outro. a dívida mais gostosa de se pagar. a melhor forma de salvar alguém da tristeza.

é sorrir com os braços.

cafuné *(s.m.)*

quando a minha mão chama o seu cabelo para dançar. emaranhado de carinho. nó de afeição. é quando meus dedos beijam sua nuca. ato de afagar alguém querido. quando bem-feito, faz dormir. calmante natural. quando meus dedos viram peixes no seu mar de cachos.

golpe que se aplica na pessoa amada depois de um longo dia de trabalho.

Carnaval (s.m.)

festa típica que meu coração dá ao te ver. quando você me deixa ser a comissão de frente da sua vida. é quando seus olhos desfilam pela avenida do meu corpo. é o samba que toca quando minha boca encosta na sua. é quando o sentimento é tão grande que invade a rua e toma conta.

é te ver fantasiada de "meu bem".

encaixe (s.m.)

aquilo que deu certo. quando um completa o outro. é quando a gente se sente no lugar certo. é o que fazem duas bocas num beijo bom. quando duas mãos se entrelaçam sem dar nó. é quando você gosta tanto de uma blusa cujo tamanho não importa.

sinônimo de sintonia.

sotaque (s.m.)

é aquilo que na sua boca vira poesia quando você fala. é dar roupa nova para as palavras velhas. é quando o seu "erre" mais puxado me invade os ouvidos e faz o coração se encantar. é me deixar bobo falando "porta", "verde" e "sorte". é quando eu brinco imitando o seu jeitinho de falar.

é quando a cultura se expressa pela sua voz.

chamego (s.m.)

é chamar de seu quem mais quer ser nosso. carinho típico brasileiro. é dar conforto com o próprio tato. é quando eu mexo no seu cabelo enquanto a gente assiste Netflix. é oferecer colo num dia difícil. aquilo que faz o brasileiro quando gosta de alguém. irmão do cafuné. é misturar perfumes num abraço.

é te chamar de "meu bem".

distância (s.f.)

é o que tem entre Brasília e Juiz de Fora. é grande demais para caber em mim. aquilo que inventaram para separar a gente. relativo ao tempo. é o que faz o perto ficar longe. espaço que o avião atravessa para a gente se encontrar. quando criança, media em passos, hoje meço em dias.

é lenha que aumenta o fogo da saudade.

sorriso (s.m.)

é quando a felicidade transborda pelo rosto.
é quando eu sei que estamos bem. reflexo
do nosso coração quando vemos alguém
especial. objeto utilizado para evitar perguntas
desnecessárias sobre nossa vida quando estamos
mal. o seu é tímido, o meu é desbocado, mas se a
gente sorrir junto vira poesia.

é a roupa mais bonita do nosso rosto.

crush (s.m. e s.f.)

amor platônico moderno. quem eu vi num ônibus lendo o meu livro preferido. interesse imediato. intensidade de um ato. finge que não me vê, finjo que não te vejo. é olhar suas fotos antigas e cuidar para não dar like. nome que se dá para "ois" difíceis de se falar.

onomatopeia para quando algo quebra. som que faz meu peito ao te ver com ele.

expectativa (s.f.)

aquilo que se cultiva. nenhuma expectativa cresce sozinha, é preciso regar, dar atenção e cuidar. possui espinhos e pode machucar. de tamanhos variáveis. as maiores, embora mais bonitas, assustam. melhor cultivada em dupla com sentimentos recíprocos.

nem toda expectativa dá frutos. para evitar frustrações, cultive amor-próprio.

namorar *(v.)*

é ter um(a) parceiro(a) de crime para esse crime que é viver. é planejar mais viagens do que dias disponíveis. é matar as borboletas na barriga (e descobrir depois que elas nunca morrem).
é pedir para ficar junto no chat de madrugada.
é fazer poesia sem ser poeta. é roubar blusas e casacos.

~~na morar~~ morar na vida de outro alguém.

dançar *(v.)*

é quando a alma usa o corpo de instrumento musical. é se entregar ao vento e ao ritmo.
é se sentir levada por algo maior que a gente.
é uma levada boa, que expressa, que acalma.
é desabafar sem dizer nada. é estar entregue e entregar o próprio controle. é ser controlada por outras notas de outra vida. é rebolar.

é dizer "dane-se o mundo" e ter um momento seu. inteiramente seu.

castanho *(adj.)*

é a cor que mais me encanta. é o tom de mel do seu olhar. é a tinta que passaram na sua alma quando você nasceu. é ter olhos de Nutella e lábios de avelã. é cor injustiçada. é ser comum nos olhos para ser rara de coração. é a tempestade que chega.

os "olhos de cigana oblíqua e dissimulada".

apego *(s.m.)*

é lembrar do seu personagem preferido e pedir o mesmo sabor de pizza que a gente pedia.
é abraçar o travesseiro na hora de dormir. é quando eu perco a chave das minhas memórias e não consigo te pôr na estante. é tirar a poeira de um beijo querido.

é guardar uma foto nossa na minha carteira.

bad* (s.f.)

é a tristeza do século XXI. roupagem nova da melancolia. é tiro que mata minha vontade. é aquilo que de manhã me prende na cama por algumas horas a mais. é sorrateira, aparece em qualquer lugar. treinada para derrubar e imobilizar, é faixa preta na arte marcial de incomodar. é aquela conhecida importuna que te visita sem avisar.

*se misturada com álcool, pode piorar.

destino (s.m.)

é caminho tracejado. é por onde querem que eu siga. é o que usam para justificar a vida quando algo "dá errado". é plano já escrito. é o futuro já pensado. é segredo. é a localidade final de uma viagem (física ou emocional). se a vida fosse um jogo de "ligue os pontos", o destino seria os pontos (você liga como quiser, mas nem sempre forma o desenho que você quer).

é o que te trouxe até aqui. (será mesmo?)

match (s.m.)

é ter interesse mútuo (ou ao menos fingir ter). é um vício para muita gente. falsa sensação de ser amado. é quando um celular me aproxima mais de alguém do que eu mesmo. é se resumir a uma idade, uma descrição e algumas fotos com filtro e edição. é combinar no aplicativo e nunca combinar de sair. é abrir um chat no qual nenhum dos dois dá o primeiro "oi". mas atire a primeira pedra aquele que nunca tentou. na vida real é feito olho no olho.

foi quando ela disse "sim, eu aceito".

transbordar *(v.)*

é não caber em si mesmo. é ser piscina em dia de chuva. quando um co(r)po é pequeno demais para a própria alma. é o que acontece quando alguém mergulha (de verdade) na gente. é a teimosia de querer você comigo até mesmo em dias difíceis demais. é você dando um jeitinho de caber nós dois na mesma vida.

é perceber que bordas limitam demais.

batom (s.m.)

é o pincel que pinta os lábios dela. é aquilo que transforma em obra-prima o que já era arte. é o que você deve passar para agradar você mesma e mais ninguém. é o que te faz deixar marcas de amor por aí.

é aquilo que tem a forma do seu beijo e o cheiro do seu amor.

glitter (s.m.)

é a maquiagem ideal para as boas baladas. aquilo que a alma dela solta na pista de dança quando ela rebola. arco-íris em pó. é o que nunca, nunca sai. é a prova do crime de que a gente se encontrou. é o que tem inveja do loiro dos seus fios cor de ouro.

é aquilo que imita o brilho dos seus olhos.

beijo *(s.m.)*

é fruto do desejo. um abraço entre almas. é flor que dá em terras de carinho. é uma declaração silenciosa. é o irmão mais velho do interesse. é a figurinha que eu não me importo de repetir. às vezes dura uma noite só (e não tem problema nisso).

é uma passagem só de ida para o meu coração.

ciúme (s.m.)

é uma mensagem não respondida. é a paranoia que me condena e desatina. é quando sua mão foge da minha sem razão aparente. é te ver preferir dar mais atenção até para a parede.
é aquilo que, se não cuidar, mata uma relação.
é delação desnecessária. às vezes é tempestade em copo d'água.

é meu coração com medo de perder a única coisa pela qual ele quer bater.

VOZ *(s.f.)*

é aquela que tem timbre, não digital. é quem cantou na nossa infância para a gente dormir. a sua eu reconheço de longe. é aquilo que faz minha alma se confortar ao ouvir você falar.

se eu pudesse guardava a sua numa daquelas caixinhas de música para sempre poder te ouvir cantar.

encontro (s.m.)

gosto quando acontece no ar, entre nossas almas, através do nosso olhar. é esbarrar e gostar.
é marcar e aparecer. é comprar uma passagem para São Paulo só para a gente se ver. é quando nossos caminhos se cruzam. é quando a gente se usa e abusa.

sexta te busco às oito, pode ser?

covinhas (s.f.)

é quando o universo cava no seu rosto um espaço a mais para você sorrir. é a alegria fazendo morada em você. é a tatuagem mais bonita do seu corpo. são dois pontos que eu faço questão de ligar com uma piada boba ou uma gracinha idiota. não me culpe por querer te fazer sorrir, a culpa é das covinhas.

são as duas aspas que fazem do seu sorriso poesia.

sardas *(s.f.)*

é quando a vida respinga amor na pele do seu rosto. são pontos para a gente ligar com carinho. são suas estrelas particulares, que fazem do seu rosto um universo. quanto mais eu conto as suas, mais eu acho. você tem um infinito debaixo dos olhos.

é "beleza" escrito em braile.

ex *(pref.)*

prefixo utilizado para enfatizar algo que ficou no passado. não necessariamente é algo ruim.
é quem já fez parte da gente. pode ser sinônimo de aprendizado. nem sempre a gente escolhe ser "ex". é uma gaveta cheia de memórias que alguns resolvem fechar para sempre (e com razão). é um capítulo passado (bom ou ruim) que faz parte da nossa história. é o "para sempre" que acabou.

são as fotos que eu apaguei (e algumas que nunca vou ter coragem de apagar).

nó *(s.m.)*

minha mãe deu nos meus sapatos quando eu era criança. a tristeza que dá na minha garganta quando eu te vejo com outra pessoa. você deu no meu coração quando eu te conheci. é um embaraço. é feito para não soltar. ao tentar desatar, pode apertar e machucar. a paranoia faz em mim um nó com a incerteza, o medo e a paixão. é complicado feito nós.

nó fraco separa fácil. nó bonito se chama laço.

cama (s.f.)

é quem abriga a gente em tempos difíceis. é a maior inimiga de um corpo cansado. é o lugar mais íntimo do nosso quarto. é forte de batalha contra pesadelos. lugar para o qual poucas pessoas são convidadas. às vezes é rei, às vezes, rainha. é onde deitam o peão, o bispo e o imperador. é quem abraça sem ter braços.

é a obra-prima de Morfeu.

prioridade *(s.f.)*

é como a gente trata as coisas importantes para a gente. é o que algumas pessoas são. é o primeiro lugar da nossa agenda (superlotada de coisas vazias). é quando a gente dá um jeito. é desmarcar algo para marcar contigo. tem gente que é para si mesmo. escolha bem as suas, elas podem não te escolher de volta.

é aquilo que eu nunca fui para você.

cangote *(s.m.)*

é o convite para um "xêro". é espaço reservado para carinhos. é onde deságua o seu cabelo comprido. espaço sensível a beijos sinceros.
é onde arrepia com um pouco de paixão. é aquilo que tem o sabor do seu perfume. é quem faz conexão direta com a nossa alma e entrega, para ela, amor.

é a gente brincando de ser flor.

riso (s.m.)

o seu é frouxo, o meu é torto. mas juntos se abraçam no ar e viram uma gargalhada só.
é quando o corpo vira maestro e faz da gente instrumento para expressar alegria. seu riso para mim é sinfonia. é melhor do que música. o seu riso para mim é cura.

esperto é o Falamansa, que aprendeu a rir à toa.

Agradecimentos

Este é o meu primeiro livro, o primeiro filho de um escritor prematuro que nasceu aos onze anos. Escritor que talvez não tivesse chegado até aqui sem o ombro amigo, sem o abraço certo, sem as palavras boas de algumas pessoas. Então aqui vai.

Mãe. Pai. Os primeiros apoiadores, cada um na sua medida, do seu jeito, com seus receios. Ela com seu jeito preocupado, organizado, virginiano de ser. Ele do seu jeito intenso, exagerado, animado, sentimental, pisciano de ser. Ela feito mãe, ele feito pai.

Ao meu padrasto, que sempre viu em mim o que às vezes eu não via e nunca desistiu de me ajudar a ser o que eu sempre quis ser.

Ao meu irmãozinho, que me faz querer ser o melhor do melhor de mim.

Meus avós, que incondicionalmente me deram apoio sem medir vontades ou discutir detalhes. Para um avô e uma avó, tudo é possível para seu neto, inclusive ser escritor.

Aos meus tios e minhas tias, que me levaram para a escola, me colocaram para dormir, me ajudaram a aprender a escrever, comemoraram comigo minhas primeiras conquistas e me mostraram como é bom ter sonhos. E que, além disso, me deram primos e primas, que tornam menor a solidão de existir e de sonhar, e aos quais eu procuro ser capaz de orgulhar.

Aos meus melhores amigos e amigas, cujos nomes são muitos para serem citados aqui, e acho que isso é um bom sinal. Acho que é por isso que cheguei aqui. Com tantos amigos de verdade assim a gente conquista qualquer coisa. A gente conquista uma viagem para o Lollapalooza, um ano-novo no Lago Sul, uma pré-estreia de *Star Wars*, uma partida de *Avalon* e até mesmo um livro publicado. Obrigado pelas noites em Brasília, seja dançando na Moranga, seja jogando sinuca no Guará. Obrigado pelas noites em São Paulo tirando fotos, ouvindo Criolo, fazendo cachorro-quente ou comendo Habib's.

Ao Bruno Porto, editor que acreditou em mim e me deu essa oportunidade incrível de ser parte do Grupo Companhia das Letras.

À Kéfera Buchmann, pelos mantras, pelas conversas de madrugada, pelas risadas e por me fazer perceber o real valor que tinham as coisas que eu escrevia, e que, sim, existe um lugar no mundo para gente como nós.

À Maria Júlia Trindade, pelo almoço em São Paulo e por me salvar do meu próprio desespero na reta final da escrita do livro e me mostrar que o mais importante é ter fé e fazer com amor.

E a todos os meus seguidores. Eu não teria chegado aqui sem vocês. Isso é um fato indiscutível. Obrigado por cada mensagem, cada curtida, cada demonstração de apoio. Este livro é nosso. Nosso.

TIPOGRAFIA Mercury Display e Mercury Text G1
DIAGRAMAÇÃO Estúdio Bogotá
PAPEL Pólen, Suzano S.A.
IMPRESSÃO Gráfica Santa Marta, maio de 2024

A marca FSC® é a garantia de que a madeira utilizada na fabricação do papel deste livro provém de florestas que foram gerenciadas de maneira ambientalmente correta, socialmente justa e economicamente viável, além de outras fontes de origem controlada.